我的 吸血鬼同學

18
前世今生

創作繪畫・余遠鍠　　　故事文字・陳四月

目錄

迦南

擁有金黃魔力的人類少女。好奇心重，領悟力強，平易近人的她曾被黑暗勢力封印起她的魔力。現時是西方學園的學生。

安德魯

吸血鬼高材生。外形冷酷，沈默寡言，與迦南兩情相悅。曾因血癮而誤入魔道。

卡爾

胃口極大的人狼。是學園小食部常客，身材健碩，熱愛跑步，經常遲到的他和安德魯自小已認識。

四葉

來自東方學園的九尾妖狐少女。活潑好動而且十分熱情的她和卡爾有婚約在身。和迦南一樣，四葉也擁有金黃魔力。

阿諾特

吸血鬼一族的王子，是被寄予厚望的天才。追求力量和榮耀的他自視高人一等，對同樣被視為天才的安德魯抱有敵意。

唐三藏

東方學園的年輕教師，和迦南一樣是人類。法術高強的她美貌與智慧並重，心地善良以作育英才為己任。

孫悟空

在東方魔幻世界中無人不知道自己要保護唐三藏，但為什麼變成了小猴卻是謎團。

右京

現存人數不多的忍者一族的領袖，不單法術了得，還天生具備獨特異能。曾經是獵人的他和丹妮絲關係密切。

金鈴

來自女兒國的特別導師，深受女帝愛戴和重用。足智多謀，而且心狠手辣，是盤絲洞蜘蛛女妖銀鈴的姐姐。

依娃

稀有的不死族妖魔，不老不死的她已經活了幾百年。被封印在魔法瓶子內的她仍相信總有一天能回到九頭蛇海德拉身邊。

鐵扇公主

來自帝都的特別導師，驍勇善戰巾幗不讓鬚眉，而且擅長烹飪。是和牛魔王指腹為婚的未婚妻。

加百列

世上僅有的七名「守望者」之一，隸屬於公會總部，擁有任意指揮專業獵人的權力，是最高級獵人的象徵。

我的
吸血鬼同學

第一章
兩難的抉擇

阿諾特和守望者加百列大戰過後受傷不輕，幸好在危急關頭，安德魯、迦南和約娜成功驅逐加百列，不然**岌岌可危**的阿諾特和艾翠絲可能性命不保。

「吸血鬼的復原能力很強，你們不用這麼誇張啦，我睡一覺後便會痊癒了。」阿諾特回到大本營——那坐落於偏遠山區的舊教堂。

「老大，你才剛從死裡逃生，不要再逞強了……」人狼奇洛十分反對阿諾特的獨斷獨行，但他的老大就是這麼心高氣傲。

「老大你背負著領導我們的重任，如果你**稍有差池**，叫我們如何是好？」鳥人露比也表現得十分擔心，阿諾特大難不死純屬幸運。

「你們不用**大驚小怪**呀，我才不會這麼輕易倒下。」阿諾特不習慣受到這麼多人關心。

「但是老大很厲害，打贏了想抓小靈的壞蛋吧？」小貓女菲蕾拉著小靈興奮的想要知道詳情細節。

唔……差一點點就打贏了，但要是他再敢打小靈的主意，我一定要他吃不了兜著走！

阿諾特得意忘形的笑著說。

老老少少，近三十人圍在阿諾特床邊令他很不自在，而初來乍到的安德魯和迦南更是大吃一驚，能在短時間內聚集了這麼多追隨者，可見阿諾特的號召力和領導魅力有多出眾。

安德魯夾在忠義之間寸步難行，阿諾特則為實踐理想義無反顧。

　　「哥哥在**闖禍**這方面果然是專家……無論在魔幻世界還是在人界，都令人擔心不已。」約娜苦笑著說。

　　在場唯獨艾翠絲一臉愁容，她很清楚事情還未結束，擊敗守望者只能為他們爭取一點時間，獵人公會和阿諾特之間已結下仇怨。

　　拒捕、**襲擊**公會獵人，加諸在阿諾特身上的罪名愈來愈多，公會只保障人類安全，對勢力愈來愈大的阿諾特不會坐視不理。

　　「好了，你們別阻我休息，有什麼問題也留待明天再說吧。」阿諾特察覺到艾翠絲面有難色，特意命眾人離開，自己則握住艾翠絲的手。

而目光銳利的約娜也感覺到阿諾特和艾翠絲之間瀰漫著一種不尋常的氣氛，她的哥哥在這段日子以來，除了斬獲志同道合的盟友，還在不知不覺間擄獲一名少女的芳心。

「受傷的人明明是我，但你的臉色比我更差呢！」阿諾特打趣的說。

「你還有心情開玩笑啊？我們可是從鬼門關走出來沒有多久呀，如果加百列再出現在我們面前怎麼辦？」回想起面對守望者時的險境，艾翠絲便背脊發涼。

同樣是人類，同樣是獵人，但艾翠絲毫無還擊之力，有如待宰羔羊。

「**船到橋頭自然直**，繼續擔心下去也是無補於事的。」阿諾特也沒有答案，但現在這教堂還算是個安全的藏身之所，把握機會休養生息，比起終日提心吊膽有意義得多。

「艾翠絲，我有一個請求。」鑑於近日發生的事，阿諾特對公會有了更深入的了解，也明白到他和公會對立是在所難免的事。

「什麼事？」艾翠絲感到意外，高傲自大的吸血鬼王子從未這麼客氣的提出請求，總是

以命令的語氣叫她東奔西撲。

「離開公會，留在這裡成為我們的一份子吧。」阿諾特不希望艾翠絲**左右為難**，更不希望與艾翠絲淪為敵人。

「我待在公會已經很久很久了……那裡就像我的家一樣。」自父母被吸血鬼殺害，艾翠絲和哥哥便被帶到公會生活，接受培訓。

「這裡也可以成為你的家，我不會勉強你做**違背自己**的事。」阿諾特少有的神情認真。

「我知道……但我和哥哥是為了阻止我們經歷的傷痛，發生在其他人身上才成為獵人的。」艾翠絲的人生裡本來只有哥哥和公會，沒有任何事物動搖她。

「在我身邊你也可以幫助人類，只是有些人類需要的是懲罰，而不是幫助。」阿諾特的正義裡沒有種族之分。

「讓我再考慮一下……」然而離開公會這件事情，對艾翠絲來說太沈重了。

　　艾翠絲離開了教堂回去自己的家，艾爾文不在，令這個家顯得更冷清，她帶著難題捲縮在被窩裡輾轉反側，**徹夜難眠**。

　　咖啡廳內，艾翠絲把手機交給分部長，內裡錄下了阿諾特和加百列的對話，當中能看到加百列是何等**心狠手辣**，毫不猶豫便向小靈扣動扳機。

「分部長，有了這錄像，不就能證明**非法人體實驗**的存在嗎？加百列所包庇的真正犯人，那個『天啟財團』到底是什麼？」
阿諾特和艾翠絲以身犯險，就是為了取得證據。

艾翠絲，這已經超出我的權限、超出我能干預的範圍了……

分部長知道艾翠絲不會死心，一定會繼續調查下去。

「天啟財團，它由世界各地最有影響力的人和企業所成，是領導人類文明發展的神秘團體，它的組織遍佈世界各地，沒有人知道它總

共有多少成員，只知道它是公會背後最大的投資者。

艾翠絲……獵人公會總部是不會違抗它的，所以這錄像根本幫助不了阿諾特。」雖然難以接受，分部長亦只能告訴艾翠絲這事實。

「你的意思是……就算他們繼續捉拿人類做實驗也無所謂，我們只能視而不見嗎？」艾翠絲眉頭緊皺，這不是她相信的正義。

「我們只是獵人，負責對付違法亂紀的妖魔，其他問題不是公會獵人該處理的問題。」分部長邊說邊嘆氣。

「我的父親……他在生的時候也知道公會是這樣不分青紅皂白的組織嗎？」艾翠絲忍住淚水，她最尊敬的父親，到生命結束時仍以身為獵人自豪。

「不只你的父親，獵人只需要謹記自己是為人類服務，這已經足夠了。」和天啟財團扯

上關係的，獵人都不會干預，這是公會的潛規則。

艾翠絲失望透頂，轉身離開這曾經無比熟悉、現在卻令她感覺到陌生的地方。

「**艾翠絲，你要去哪裡?**」分部長擔心著問。

「**我要休假! 在我考慮清楚之前，我是不會再回來的。**」艾翠絲高聲說。

分部長心裡明白這對年輕的艾翠絲有多難接受；曾幾何時，分部長何嘗沒有掙扎過、抗拒過？但隨著時間過去，他變得麻木了、接受了。只管保護人類免受妖魔傷害就好，超出他職責的，統統置身事外。

翌日清早，阿諾特便急不及待離開病床，這個急性子只要一停下腳步，就會覺得渾身不舒服。

他走到教堂外的草地，看見安德魯眉頭緊皺，不知道在為什麼而煩惱，但這些阿諾特**漠不關心**，對於安德魯，他由始至終，只在意一件事⋯⋯

他們曾經**勢成水火**，也曾經並肩作戰；事過境遷，他仍想知道：到底現在他們之間誰強誰弱？

黑火焰以烏鴉的姿態，飛撲向安德魯。

「**這是惡作劇嗎？**」安德魯不需動手，雷電已自動解除阿諾特的威脅。

「你不記得我倆之間有個約定，在皇城保衛戰後再一決勝負嗎？你不會是害怕我才避走東方吧？」安德魯因為被捲入黑洞魔法，所以約定不了了之。

「我現在沒心情和你開玩笑，我們的鬥爭根本毫無意義。」安德魯滿腦子盡是煩惱，誰勝誰負他並不在乎。

「但這對我來說很有意思，不想被我當成**沙包**便認真起來吧！」阿諾特又怎會順安德魯的意，二話不說便發起進攻。

「那我不會因為你有傷在身而放軟手腳的，你準備在病床上多躺幾天吧！」安德魯中了阿諾特的**激將法**，像以前一樣，只要兩人碰面就會大打出手。

「笑話，要躺在病床的人是你才對！」戰鬥刺激的感覺令阿諾特感到 **血脈沸騰**，感到無比興奮，更讓他有活著的感覺。

兩人雖然互不相讓，但避免教堂損毀所以只是點到即止，被吵醒了的住客們都紛紛走出教堂觀戰。

「啊！老大和另一個吸血鬼哥哥打起來了。」小貓女菲蕾十分雀躍。

「哥哥真亂來……醫生吩咐他要好好休息的。」約娜沒好氣地說。

「大家覺得贏的會是老大，還是另一個吸血鬼呢？」人狼奇洛不感到意外，大家對阿諾特的脾性已十分熟悉。

「**當然是老大啦！**」黑狼組的成員為阿諾特吶喊助威。

這樣的日常對身在這裡的妖魔都特別值得珍惜，他們能三餐溫飽，能有遮風擋雨的家都是阿諾特的功勞。

「進步了不少呢，看來流落東方的日子裡你沒有閒著。」阿諾特**戰意高昂**。

「你也不賴嘛，除了性格還像以前一樣令人討厭。」安德魯也愈戰愈勇。

兩人都在戰鬥中感受到喜悅，安德魯的內心深處有著和阿諾特十分相似的一面。然而這兩個喜愛戰鬥的男生，身邊同樣有著關係密切的人類女生。

從獵人咖啡廳離開的艾翠絲剛好回到教堂前，便看到傷勢未癒的阿諾特在**大動干戈**。一早起床後便開始在廚房協助露比為大家準備早餐的迦南，亦被打鬥聲吸引到教堂外。

艾翠絲對阿諾特破口大罵……

笨蛋阿諾特！你當醫生的說話是廢話嗎？是想病情惡化，早點見閻羅王嗎？

安德魯你在幹什麼？我們是來尋求幫助，而不是來打架的，你就不能和阿諾特好好相處嗎？

迦南也怒氣沖沖，挨罵的兩人立即停下動作，不敢輕舉妄動。

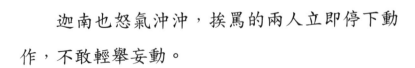

誰是閻羅王？是人類世界的國王嗎？

「**不知道**，你來了人界那麼久也不清楚嗎？」安德魯也不敢大聲說話。

「看來再強的吸血鬼男孩，也敵不過人類女生呢……」機靈的約娜已看出**端倪**，她的哥哥哪會是這麼容易就範的人。

「既然人齊了，便開始吃早餐吧，有迦南幫忙，今天的早餐特別豐富呢。」鳥人露比說。

在這教堂洋溢的和樂氣氛，令**身陷囹圄**的眾人都能放鬆心情，得到喘息的空間。面前等待阿諾特和安德魯的，是在人類和魔幻世界同時發生的危機，唯有把他們得到的線索拼合起來，才能得知這場危機的完整面貌。

早餐過後，安德魯和阿諾特等人在教堂中展開**特別會議**，安德魯和迦南把這段時間發生的事，一五一十告訴阿諾特，好讓他知道自己為何需要安全的地方暫避，唯有讓迦南掌握穿梭兩個世界的力量，他們才能擺脫追捕，突破困境。

「殭屍大軍、妖魔三仙人，還有女兒國的女帝……安德魯，看來我們的對手是同一伙人呢。」阿諾特在人界同樣遇上過這些對手，他們在兩界穿梭，密謀掀起一場浩劫，但當中有阿諾特不曾聽聞的事。

「唐三藏的**聖舍利**，是能製造大批殭屍的原材料，你們就是因為這個唐三藏而吃盡苦頭。」阿諾特在礦洞燒毀了成千上萬的殭屍，令妖魔仙人更著急捉拿唐三藏。

「不只有普通殭屍，還有能使用法術器具的**超級殭屍**。我曾在東方學園見識過，那種殭屍異常強大。」金角大王和銀角大王令迦南印象深刻，不會死亡和疲倦的殭屍加上法器的力量實在非同小可。

「根據馬家秘卷所記載，聖舍利的力量甚至能**起死回生**。」安德魯在女兒國獲得了秘卷的下半部，對內裡的記載深信不疑。

「這麼**天方夜譚**的事……真的有可能辦到嗎？」鳥人露比在做飛賊的時候，接觸過數之不盡的稀有秘寶，但能起死回生的卻未聽聞過。

「先不管這是真是假，妖魔仙人和女兒國交易，是為了幫助女帝一統東方魔幻世界……然而單靠那三個妖魔仙人根本沒有這麼大的本事，暗中協助他們的**人類**才是真正的主謀。」阿諾特把線索穿連起來。

「人類？這和人界有什麼關係？」安德魯不知道在他落難東方的日子裡，人界也不是風平浪靜。

「人類要比我們想像的**險惡**得多，難怪海德拉多年來一直想討伐人界，回想起來他的確有先見之明……只可惜再聰明的海德拉，現在已淪為人類的發電機器。」黑魔法派的最終目標，是奪回人界這片土地，阿諾特當時還不知道海德拉用心良苦。

「海德拉大人果然還活著！」被封印在魔法瓶中的依娃歡喜萬分，她日思夜想的黑魔法派領袖竟同樣在人類世界。

阿諾特把自己的經歷如實相告，包括能儲存魔力的發光水晶，以發光水晶驅動的大殺傷力武器，還有從守望者口中得知的幕後主謀——「天啟財團」。

「獵人公會和天啟財團的關係這麼密切，艾翠絲的處境豈不是十分尷尬？」安德魯問。

「在事情結束之前我是不會回去公會的，我不能眼白白看著更多像小靈的犧牲者出現。」

人體實驗徹底改變艾翠絲對公會的信任，她一直以為只要**保護好人類**就是正確的事。

迦南聽到人類所做的惡行後陷入苦思，她在魔幻世界生活以來和妖魔建立了深厚的感情，危害人類的妖魔雖然存在也實屬少數。但比妖魔更危險的人類集團，是迦南意想不到的存在，更令她難以置信的，是獵人公會包庇這些人類，她的價值觀正面臨崩潰。

在生死存亡的重要時刻，到底作為人類的迦南應該站在人類的一方，還是站在像安德魯、四葉和愛莉等她所愛護的妖魔身邊？

為了突破面前的困境，迦南的當務之急是完全掌握穿梭兩界的**神奇力量**，但這任務殊不簡單，因為迦南對自己身懷的力量毫不認識。

「為什麼？到底是哪裡做錯了？」迦南反覆嘗試，但過了大半天也只能勉強打開傳送門，無法控制穿越後會去到什麼地方。

日落西山，陪著迦南特訓的還有吸血鬼公主約娜。約娜一直在旁邊靜靜觀察，雖然**心急如焚**但欲言又止。

「把未來賭在迦南身上真的沒錯嗎？她說的話真的可以完全相信嗎？」約娜對迦南和安德魯有所隱瞞，她能及時幫助他們逃出生天，又知道迦南能穿梭兩個世界，這些都並非巧合，

也不是她親眼目睹的未來。

「他為什麼稱我為女王，這支名為『女王的權杖』的**魔法杖**，又是什麼來歷？」迦南決定稍作休息，坐在草地上整理思緒。

加百列在消失前最後說的話令迦南十分在意，與新魔法杖異常契合亦令她感到意外。**素未謀面但又似曾熟悉**的感覺，令腦袋不靈光的迦南頭昏腦脹。

「如果我說……有個方法可能幫助到你找出答案，你願意嘗試嗎？」約娜覺得繼續守株待兔下去，不是辦法。

「是什麼辦法？約娜你知道什麼？」迦南一臉疑惑。

「你不要問太多，我也不敢肯定這方法是否有效……」約娜說。

迦南相信約娜，與其自己一頭霧水繼續嘗試，不如尋求其他出路。然後約娜和迦南再次來到蜂后的古董店，這一次蜂后不感到意外，而且為迦南的到來提前做好了準備。

　　古董店內的電燈全部關閉，只有少量蠟燭提供微弱的光線，令店內瀰漫神秘的氣氛。

　　「店長，我們來得不是時候嗎？」迦南以為自己打擾到蜂后。

　　「剛好相反，你們來得正合時，準備工作已完成，儀式隨時可以開始。」蜂后示意迦南坐在店中央的椅子上，椅子前方擺放著一面魔法鏡子。

　　「儀式？這些東西是為我準備的嗎？」迦南錯愕的問。

　　「嗯，我的客人為你提前預約，她知道你會在這時間到訪，尋求纏繞腦海那些問題的答案。」蜂后微笑回應。

迦南很想知道暗中幫助她的到底是誰，為何像是能未卜先知，對她的動向**瞭如指掌**。

　　「我有責任為客人的身份保密，如果你不放心，可以拒絕這項服務。」鏡子是「轉生魔鏡」，迦南曾在此看到前世的自己和安德魯，當時她已對這面鏡子十分感興趣。

　　「不，我想知道她到底為我準備了什麼。」迦南堅定不移，她需要盡快掌握穿越兩界的力量。

　　「那請你集中精神看著鏡中的自己，你的旅程很快便要開始了。」蜂后向鏡子注入魔力，啟動了「轉生魔鏡」。

　　「什麼旅程？」迦南的意識逐漸模糊。

　　「回到上一輩子的時空旅行。」蜂后說罷，迦南便眼前一黑，意識被吸入鏡子之中。

「這儀式對她的身體不會有害吧？」約娜扶住迦南快要跌倒的身體。

「放心吧，這儀式對人體百分之百安全，但會不會對她造成心靈創傷⋯⋯就不得而知了。」蜂后意味深長的笑著說。

迦南的意識進入了上一輩子的身體，映入她眼簾的是遙遠的光景，那裡死氣沈沈，遍地頹垣敗瓦，因為那時代正爆發著人類和妖魔激烈的戰爭。

迦南無法控制上一輩子的身體，她只能透

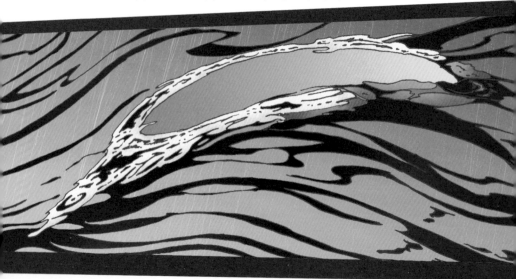

過眼睛觀看在這時代發生的事。強烈的悲傷湧上心頭，迦南能感受到這身體的主人相當的情緒。

「**女王，這裡已經無人生還，我們還是盡快離開吧。**」男生的樣貌和艾爾文十分相似，上輩子兩人也互相認識。

「**我想一個人靜靜獨處一下。**」女王邁步前進，默默哀悼戰爭中的死難者。

在迦南身處的時空，妖魔和人類的戰爭已持續多年，雙方死傷枕藉，卻未有跡象停止。

戰爭陷入**膠著狀態**，時間拖延得愈久，受害的無辜百姓愈多。

　　女王一直向前走，直到看見一具小童的屍體，她內心堅強的防線終於崩塌下來，抱著屍體**哭成淚人**，只可惜無論女王怎樣努力，也沒法以魔法令死者復生。

　　上天似是感受到女王的悲痛，雨水傾盆而下掩蓋女王的痛哭聲，但另一股魔法的力量突然出現，溫柔地包裹著女王，不讓雨水沾濕她的身體。

　　「你就是妖魔的領袖，吸血鬼王安格斯？」女王毫無防備，她沒想過敵軍的總司令竟會獨自出現在她眼前。

　　這是**上一輩子**的迦南和安德魯首次親身見面，他們都是軍中最重要的人物，假若一方在此消失，對戰果將有著重大影響。

「人類的女王迦莉，幸會。」安格斯無聲無息的接近，氣氛立即變得緊張起來。

「幸會？我們的相遇會是值得慶幸的事嗎？」迦莉立即取出魔法杖，女王的權杖奪目耀眼。

「且慢……」安格斯話未說完，迦莉的魔法已**如箭在弦**。

「廢話少講；金黃魔法，流星疾風！」迦莉擺好格式，連續發出攻擊魔法。

「深淵魔法，深紅障壁！」安格斯處變不驚，嗜血的帝王散發著深沉的魔力。

「今日你我之間**必有一死**，唯有這樣才能阻止更多人犧牲。」迦莉加大魔法的力量，在她體內的迦南，能清楚感受到魔力的流動。

「不⋯⋯情況剛好相反。」安格斯只守不攻，他不是為殺戮而來。

「我不會被你的言語迷惑，你這可惡的妖魔！」女王的權杖包圍住金黃魔力，形成長而鋒利的金光利劍。

「女王，我知道你對我**恨之入骨**，但就算今日我們葬身於此，戰爭也不會停止的。」安格斯厭倦了戰爭，他想尋求和平解決的辦法。

利劍擊破防禦魔法，直刺入安格斯的肩膀，但他還是沒有還擊，沒有反抗。

「為什麼不還手？你以為這樣我便會放你一馬嗎？」迦莉剛才的一劍可以直接刺進安格斯的心臟，但她並沒有選擇置對手於死地。

「我們其中一方死了，只會加深兩族之間的仇恨，為了報復，**更加激烈的戰爭**將會接踵而來，這是你我也不想看見的局面。」肩膀雖然受傷，但安格斯沒有表現出痛苦，反

而冷靜地和迦莉對話。

「繼續說。」在這麼近的距離下看著安格斯，迦莉能感覺到對方真的沒有敵意。

「唯有我們一起努力，才有機會改變這局面。」安格斯態度誠懇。

是安德魯。

迦南心中默念，她感受到女王的心跳在加速，這和她跟安德魯在一起時的心動感覺一模一樣。

「你真的沒有撒謊？願意和我一起**為和平而努力**？」迦莉解除了光劍，轉而替安格斯治療傷勢。

安格斯露出了微笑，他看到了希望，看到了和平的曙光。

女王和帝王的邂逅，成為了兩族和平的契機，但並非所有人和妖魔也想要和平，有些人無法放下仇恨，有些妖魔誓不罷休。

迦莉和安格斯促膝詳談，直至雨停下來，兩人依依不捨，不願離開。

阿諾特在加百列口中得到重要的線索，一直在暗中操控一切的主謀是名為「天啟財團」的人界組織，**九頭蛇海德拉**正身處這組織核下的其中一個地點。

「當務之急，是找出海德拉的所在地，雖然我十分討厭他，但不把他從敵人手中救出來，敵人便會變得愈來愈強大。」阿諾特把從地下賭場撿獲的魔力大炮放在安德魯面前。

這就是以魔力發動的武器？

安德魯**嘖嘖稱奇**，人類的科技發展比魔幻世界迅速得多。

「他們把海德拉的魔力注入這種發光水晶，以此推動武器攻擊，當魔力耗盡後替換一顆新的發光水晶就能繼續作戰。」這為人類帶來極大優勢。

妖魔的魔力在消耗後要等待回復，人類卻以這方法**無間斷**持續作戰，就像加百列擊敗阿諾特時的情況。

「這樣的武器一旦大量生產，對魔幻世界定必帶來嚴重影響⋯⋯」安德魯理解到事態嚴重。

「很遺憾，他們已投入生產，還研發了其他類似的武器。」阿諾特見識過魔力拳套的威力，這能令未經訓練的普通人類也能對妖魔構成威脅。

「我們阻止不了武器生產，但能阻斷他們繼續獲得能量資源。」艾翠絲明白阿諾特的意思。

「對，沒有海德拉，他們便沒有魔力可以注入發光水晶。」妖魔之中像九頭蛇般擁有強大魔力回復能力的並不常見，所以阿諾特把拯救海德拉當成首要目標。

「但是和天啟財團有關的地方有很多，而且每一處也守衛森嚴。」鳥人露比回想起發電廠一役，大家實在是死裡逃生。

「監禁海德拉的地方一定是防衛最嚴密的地方，以我們現在的人手是不可能攻破的。」阿諾特也不想要伙伴以身犯險。

「那我們該怎麼辦？公會的獵人不會再支援我們的行動……」奇洛十分擔憂，一直以來阿諾特有公會在背後支持這項優勢，現在公會卻把他當成敵人。

「現階段我們只能靜靜偵察，絕不輕舉妄動，在確認海德拉的位置後再集中火力，把那地方**夷為平地**。至於人手方面……我會想辦法的。」阿諾特很想擴充勢力，奈何他已被公會通緝，人界的妖魔再不敢和他建立關係。

「安德魯，反正你在人界也**無所事事**，在等待迦南的期間你就暫時加入我們，幫忙找出海德拉的下落吧。」阿諾特精打細算，多一個人等於多一分力。

「好吧……」安德魯和海德拉無論前世今生也有過節。

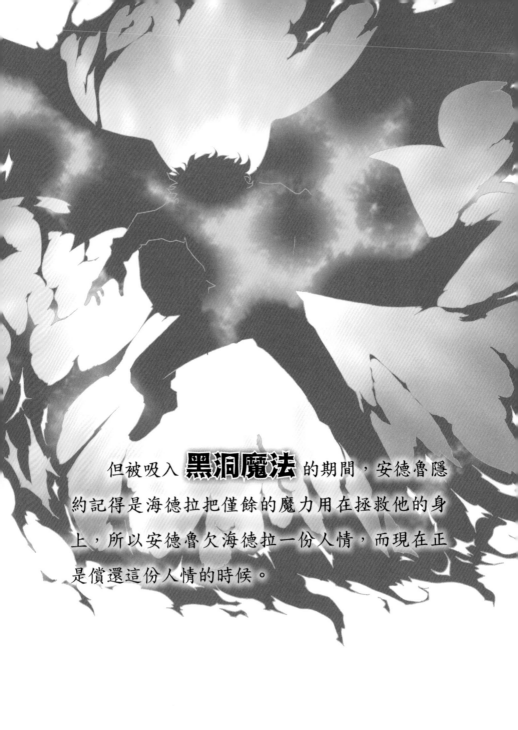

但被吸入 **黑洞魔法** 的期間，安德魯隱約記得是海德拉把僅餘的魔力用在拯救他的身上，所以安德魯欠海德拉一份人情，而現在正是償還這份人情的時候。

第五章

上輩子的約定

迦南的意識正處於人類和妖魔的戰爭時期，她透過女王迦莉的眼睛看著這段鮮為人知的歷史，內心感受著迦莉所感受的一切，包括對吸血鬼的心動。

在和安格斯邂逅之後，兩人不時相約在人跡罕至的地方，神神秘秘地會面。他們積極尋找戰爭以外，能為兩族帶來和平與利益的方法。

在反覆思量的日子裡，他們變得互相信任，兩人無所不談，關係變得愈來愈親密，最終日久生情。

最終女王研究出新的魔法，竭盡魔力成功為妖魔打造出魔幻世界。人類和妖魔不用再爭奪資源，才有了能**停止戰爭**、互不侵犯的雙贏局面。

「這就是我認為最可行的方法，只要妖魔們願意移居到**魔幻世界**生活，便不用再和人類爭奪土地資源。」迦莉在魔幻世界種下了魔界樹的種子，並把雙手放在種子上慢慢注入魔力。

這將會成為魔幻世界的支柱，滋潤魔幻世界的土壤，支撐起妖魔的生活。

「這的確是個美好的**解決方法**。」安格斯凝望著迦莉美麗的側臉說。

「你認為妖魔們都會同意嗎？離開自己的故鄉，在陌生的世界生活，會遇上很多未知的難題。」迦莉回頭一看，和安格斯四目交投。

「我願意竭盡全力說服我的子民，
為了和平。」

安格斯把雙手放在迦莉的手背上，他也為
種子貫注魔力，很快**魔界樹的種子**便發
芽生長。

迦莉能感受到安格斯手心傳來的溫暖，加上熾熱的目光，教她莫名心動。

「我願意付出一切去達成這目標，為了你。」安格斯知道妖魔和人類相愛是前所未有的事，但任何事也會有第一次。

「你願意……和我一起保護兩個世界，直至生命的盡頭嗎？」迦莉羞紅的臉，和迦南面對安德魯時一模一樣。

「我願意，至死不渝。」安格斯徹底愛上了迦莉。

帝王和女王的愛情在初期雖然不被國民祝福，但隨著妖魔移居魔幻世界，國民在和平的日子回復繁榮穩定後，接受他們的聲音慢慢變大變多，而迦莉和安格斯在這時候決定結成連理，永不分離。

人界獵人公會總部是一幢具有中世紀歐洲色彩的宏偉建築，能踏入這神聖殿堂的人都是在公會**身居要職**的人。

守望者加百列拖著疲憊的身軀，藍色的制服沾滿沙塵，**狼狽不堪**的他被迦南打開的傳送門扔到遙遠的地方後，便馬不停蹄趕回公會總部。

分散在世界各地執行任務的七名守望者齊集在總部禮堂，禮堂的彩繪玻璃窗上有著代表**七大天使**的圖畫，守望者罕有的聚首一堂，是為了確認一件事。

「加百列這麼狼狽的樣子我還是第一次看到呢。」女生對加百列冷嘲熱諷，她是守望者中的雷米爾。

「守望者是公會權威的象徵，你的表現實在令人失望。」米迦勒是七位守望者中的代表，他的資歷最為豐富。

加百列、雷米爾、米迦勒，守望者的名號都是取自於《啟示錄》中的七大天使。

「抱歉啦……我沒想過女王會突然出現，一不留神便被她傳送到撒哈拉沙漠。」加百列嘻笑著說，他不擔心會被責罰，因為發現女王的蹤影比一切任務都更重要。

獵人公會是基於對女王的信仰而誕生的，他們對一個從遠古流傳至今的預言深信不疑，他們相信女王會轉世歸來，手握**閃閃生輝**的權杖，再次帶領人類戰勝妖魔。

你說的都是真的嗎？能任意穿梭兩界，第一個金黃魔力持有者的轉世真的出現了嗎？

米迦勒十分震驚，公會中很多人不相信女王是真實存在，以為她只是個**口耳相傳**的傳說。

「嗯……把我扔到沙漠的不是現有的魔法，唯有女王能隨手一揮做到這麼驚人的事。還有她手上的魔法杖，那毫無疑問是預言中的權杖。」加百列說。

「還以為女王只是個傳說，想不到真有其人呢。」雷米爾是總部中少數**不信奉女王**的人。

「之不過依我估計……女王的力量還**未完全覺醒**，否則我不可能沒有發現她在附近，而且她明明有能力把我傳送到魔幻世界，但卻未能控制傳送的目的地。」加百列思考著說。

「女王回歸一事固然重要，但加百列你沒有完成任務，而且還讓我們金主的身份曝光，這是嚴重的過失。」艾翠絲拍攝的錄像已傳遍公會所有獵人，令反對守望者行事作風的人數愈來愈多，完美主義者米迦勒不容許這樣的污點。

「女王是改變人類世界的關鍵，但天啟財團研究出的科技同樣是不可或缺的力量，為免輿論壓力增加，我們現在不適宜再明目張膽包庇他們。」守望者米迦勒不只是強大的獵人，更是管理公會的智囊。

「是我輕敵之過，我甘願受罰。」公會是紀律嚴明的地方，加百列將被停職接受處分，但對於三番四次與公會作對的阿諾特，他的後果將會更嚴重。

加百列出師不利，不只被阿諾特逃之夭夭，還泄露了公會的機密，**幕後黑手**的真正身份已被阿諾特知道了，他找上天啟財團只是時間的問題。

　　問題是到底阿諾特和獵人公會，哪一邊的行動更迅速。

第六章

未來的訪客

　　阿諾特等人分頭行事，在人界多個可疑地點進行監察；安德魯暫時加入成為其中一員；依娃則向迦南提出請求要協助他們，因為她對海德拉的魔力最熟悉，有她在，一定事半功倍。

　　「小子，你還在想著在東方認識的那對姐妹嗎？」魔法瓶子暫時交由安德魯保管，依娃對安德魯頗有微言。

　　「為什麼這樣問？」安德魯問。

　　「你可不要令迦南傷心啊，不然我一定不會放過你的。」相處久了，依娃和迦南感情愈來愈好。

　　「你誤會了……我只是想償還馬家姐妹對我的救命之恩。若非她們出手相助，我未必能活著回迦南身邊。」一想到這對姐妹將面臨生

離死別，安德魯便覺得很抱歉。

安德魯在監視的明明只是幢普通的摩天大廈，大廈外卻有著為數不少的保安護衛。

「依娃……你能感覺到嗎？」那在黑洞中保護安德魯的獨特魔力正藏在大廈之內。

「雖然很微弱，但確實是海德拉大人。」依娃**喜出望外**，她和海德拉重逢的日子指日可待。

目標的位置已到手，接下來阿諾特面對的最大問題，是從哪裡召集足夠的人手，向摩天大廈大舉進攻。

古董店內，迦南的意識還在繼續進行時空旅行，目睹**上一輩子**的自己和安德魯的愛情故事，同時感受女王迦莉是如何操控穿越兩個世界的魔法。

除了迦南、約娜和蜂后外，古董店內還有一位特別的客人，早前約娜之所以能**未卜先知**，在孫悟空手上救出迦南和安德魯，全賴這位客人的幫助。

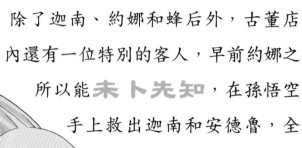

> ## 到底迦南何時才會醒來？

約娜坐立不安，一直守候在迦南的身邊。

購買「女王的權杖」和「嗜血的帝王」的費用也是出自於這位客人的荷包，這一次時空旅行是她為迦南預先安排的。

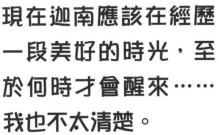

現在迦南應該在經歷一段美好的時光，至於何時才會醒來……我也不太清楚。

　　客人和約娜同樣長有金黃色的秀髮，五官輪廓極度相似，但年紀明顯較約娜年長，成熟的她流露著淡淡的哀愁。

「你不會在欺騙我吧？若迦南有什麼損傷，我絕不會輕易放過你的。」約娜手握魔法杖提高警覺，對這位客人的說話她還是半信半疑。

「我欺騙自己又有什麼好處？我千辛萬苦回到這時代，就是為了拯救迦南，還有她所愛著的安德魯。」客人來自十年後的未來，她是長大後的吸血鬼公主——約娜。

「我也是第一次為來自未來的客人服務，這種感覺真神奇。」蜂后閱歷豐富，但兩個不同時空的客人登門拜訪，是從未有過的個案。

「我到現在還是覺得難以置信……未來的我怎會出現在我的面前？」約娜向安德魯和迦南撒了謊，她並非預知到未來才及時拯救了他們，而是未來的約娜告訴她將會發生的事。

「操控時間的魔法是你與生俱來的天賦，你現在應該已能使用靜止魔法了吧？苦練多五年之後你會有所突破，開始學會穿梭過去和未來。」成年後的約娜**成熟穩重**，使用魔法的能力和現在有天淵之別。

「哈哈……穿梭過去和未來，我還真的沒有想過。這比起我哥哥喜歡上獵人更令人難以置信。」令約娜意料之外的事已發生得太多，她只好順其自然。

「哥哥他……我也很想和他再見一面，只可惜我不能再為這時空帶來太多改變。」未來的約娜，舉手投足均散發著*神秘感*。

在你的時空裡，我的哥哥不會已經不在人世了吧？

約娜對未來充滿好奇，她那愛惹事生非的哥哥也教人特別費心。

不，他還是和以前一樣令人又愛又恨，只不過要和他見面已不再是能隨時隨地都可以了。

　　未來的約娜有很多問題也不肯正面回應，這令現在的約娜十分氣憤。

　　「其他事情我可以接受你支吾以對，但有一個問題你必須**從實招來**，否則我不會再幫助你。」約娜態度嚴肅的說。

　　「你想知道什麼？」未來的約娜很清楚自己的脾性，小公主認真的時候絕不接受愚弄。

未來的迦南到底怎麼了？

世上沒有不勞而獲，穿越時空回到過去背後定要付出沈重代價。若非事態嚴重，她敢肯定未來的約娜一定不會試圖改變過去。

自從大賢者在魔幻世界消失後，一切就開始變得不受控制，可怕的大災難頻頻發生，魔幻世界只剩餘不足一半的人口⋯⋯恐怖的氣氛籠罩整個世界，國民每天都活在惶恐之中。

未來充斥著世界末日等級的災難，死者的屍體堆積成山。

「你別再轉彎抹角……這和迦南又有什麼關係？」約娜不明所以。

「這可怕的處境把國王迫上**絕路**，他和賢者之城的傢伙商議後，決定再次做出那慘無人道的事。」未來的約娜，親眼目睹這慘劇發生也無法制止。

「他們……該不會是把迦南……」約娜背脊感到一陣寒意，她已猜想出答案。

「對，他們把迦南**活生生燒死**，以她的靈魂取代已消失的尤莉雅，成為新的大賢者。」在未來的時空，迦南的靈魂正被囚禁在賢者之城中，這是未來的約娜不能接受的事。

「*怎可以這樣對迦南⋯⋯安德魯呢？他會任由這樣的事情發生嗎？*」現在的約娜瑟瑟發抖，她不敢相信善良的迦南會遭受這樣的對待。

「魔幻世界**東西內鬥**，加上人類無止境的發動戰爭，在我身處的未來，你所認識的人大多數都下落不明⋯⋯包括安德魯。」所以約娜從未來回到過去，希望改變大家變得不幸的命運。

「唯有迦南早日覺醒女王的力量，在這時代開始作出改變，讓壞事在萌芽前被摧毀。」就像尤莉雅和安古蘭所說，未來是由眾多選擇導致的後果，愈早選擇出不同的道路，最後的

終點定必有所不同。

「我可以怎樣幫助她？」約娜以惋惜的眼神看著還未回復意識的迦南。

「已沒有你和我能做到的事了……餘下的只能靠迦南**親手改變**。」未來的約娜輕撫迦南的臉龐，她是多麼想念，多麼想拯救這位老朋友。

兩個時代的約娜在守護著迦南，而正經歷前世記憶中的迦南，也快要進入旅途的尾聲。

第七章

離別

女王和吸血鬼王的婚禮，令兩族關係變得更好，兩個世界的人聚首一堂，舉行了長達三日的慶典，大家載歌載舞為新人送上祝福，成就了世上第一對異族通婚的例子。

「大家……」迦南透過女王迦莉的眼中看到很多熟悉的面孔。

前世的四葉、愛莉和卡爾等魔幻世界的代表前來到賀。前世的艾爾文、艾翠絲和加百列等人類代表也在。無論在前世還是今生，迦南和這些人和妖，都有著千絲萬縷的關係。

但幸福的日子沒有持續多久，全情投入照顧魔界樹的迦莉和安格斯只注意到表面上的風平浪靜，沒有發現危機正在迫近。

這天迦莉和安格斯再次來到魔界樹前，迦莉每一天也會在相同時間進行魔力貫注儀式。

「迦莉，不如暫停向魔界樹貫注魔力吧，你近日的臉色有點蒼白。」安格斯和迦莉形影不離，對她愛護有加。

「不，我還可以繼續。這是兩個世界和平的象徵，我希望它能永遠**屹立不倒**。」迦莉每天也把自身魔力全部注入魔界樹，當初的小樹苗已成擎天巨樹，但迦莉還是不敢怠慢。

「帝王，有重要的事情需要你立即回皇宮處理。」妖魔侍衛匆匆忙忙，皇宮之內似是有大事發生。

「你先回去吧，我一個人進行儀式也無問題的。」和平的日子令迦莉失去了戒心。

「我會盡快回來的。」安格斯也一樣。

「*為什麼……我會有種不祥的預感？*」迦莉若無其事的準備儀式，迦南卻覺得心緒不寧。

安格斯拍翼展翅，不消片刻便飛回皇宮，但皇宮內一片寧靜，並沒有急需他回來的理由。

「不好了……這是**調虎離山之計**。」安格斯雖然反應迅速，但還是無法在第一時間趕回迦莉身邊。

「帝王啊……你可是妖魔們的領袖，怎能背棄妖魔，要我們離開自己的家園？」那些不認同安格斯的妖魔，處心積慮了這計劃，他們是黑魔法派的起源。

「立即讓開，不要迫我大開殺戒。」安格斯被包圍了，那些曾是他親信的妖魔發起叛變。

而叛變的真正主謀，想**謀朝篡位**的妖魔靜靜等待迦莉把魔力都注入魔界樹後，才顯露真身。

「是海德拉!」

迦南深知不妙，但她無法改變歷史，上輩子的九頭蛇海德拉，趁迦莉魔力耗盡時從後偷襲。

「為什麼要這樣做？人類和妖魔……不是迎來了**美好的結局**嗎？」無力抵抗的迦莉任由黑色的毒蛇瘋狂撕咬身體。

「這只是你和安格斯一廂情願的想法，所以你們二人必須消失。」九頭蛇在迦莉身上留下了致命的傷勢，就連迦南也感受到蔓延全身的疼痛。

「放開迦莉！」元氣大傷的安格斯從天而降，他已把謀反的逆賊殺個片甲不留，但自己也付出沈重代價。

安格斯的奮力一擊只能令九頭蛇稍稍退後，好讓他能看迦莉最後一眼。

「**我的帝王……對不起。**」倒臥在安格斯懷裡，迦莉的內心比身體更痛，他們親手建立的和平面臨崩潰，她的心跳也快將停止。

「太遲了，安格斯……你已無辦法阻止我了。」九頭蛇魔力如日中天，安格斯卻是強弩之末。

「迦莉……不可以……。」安格斯崩潰落淚，回復魔法也治療不了迦莉，吸血鬼在死神面前是多麼軟弱無力。

迦莉含淚而笑……

「我們下輩子再見面吧，然後我們會再次相戀，再次結成夫婦。」

「但你現在還不能離開，你還有必須要做的事。」不剷除九頭蛇，他們辛苦建立的一切也將化為灰燼。

於是迦莉把脖子靠向安格斯，安格斯心領神會，他把利齒刺入迦莉的脖子，吸入第一個**金黃魔力持有者**的血液，史上第一隻紅色眼睛和白色翅膀的吸血鬼就此誕生。

「好美麗……」

迦莉氣絕前的一瞬間，是看著安格斯鮮紅的眼睛，那像紅寶石的一雙眼睛。

迦莉的離世結束了迦南的**時空旅行**，她睜開眼睛的時候，臉上已是兩行淚痕，映入眼簾的是十分擔心她的約娜。

「你怎麼了？身體不適嗎？有學到穿梭兩界的方法嗎？」約娜心急地問。

「嗯……那不是魔法，而是女王與生俱來的能力。」迦南在迦莉體內感受到魔力的流動。

「我們先回去教堂吧，我知道安德魯已急不及待回到**東方魔幻世界**。」迦南自信地張開手，這趟旅程迦南獲益良多。

未來的約娜在迦南醒來前已先行離開，她離開前對這時代的約娜千叮萬囑，不能把未來的事告訴迦南，迦南的選擇對未來的發展會有重大影響，但未來會變好還是變壞，全是未知之數。

教堂內，迦南一看到安德魯的背影便忍不住緊抱著他，迦莉和安格斯的經歷令她十分心

痛，那種**刻骨銘心**的痛楚還未平伏下來。

「迦南？你怎麼了？」安德魯在和阿諾特交代海德拉的囚禁地點，被突然傳送出現的迦南嚇了一跳。

「我知道怎樣操控了。」女王的力量已逐漸在迦南身上覺醒。

「你不是很擔心雙兒和雙雙嗎？我們馬上回去東方魔幻世界吧。」迦南知道安德魯現在最擔心的就是馬家姐妹，然後就是唐三藏和孫悟空。

「想不到我們這麼快便要道別呢！」雖然希望安德魯加入拯救海德拉的計劃，但阿諾特不會強人所難。

「海德拉就拜托你了。」安德魯要踏上尋求原諒的旅程，把一切導回正軌。

這晚上還有一個人要與迦南和安德魯分道揚鑣，魔法瓶子的封印已再困不住依娃，衝破封印的她走到迦南面前。

「迦南，我要留在人界，海德拉大人很需要我。」就算封印解除，依娃還是魔幻王國的罪犯。

「**但是……**」迦南有責任看管依娃，但接受過依娃多次幫助，這份人情她承諾過會償還。

「坦白說……和你在一起的日子我也挺開心的。但我生是黑魔法派的人，死是黑魔法派的鬼，我們注定踏上不同的道路。」依娃拍拍迦南的肩膀，以朋友的關係見面，這可能是最後一次了。

「這段時間謝謝你的照顧。」迦南微笑點頭，她明白**天下無不散之筵席**的道理。

「我也留在這裡幫忙，哥哥你的人手嚴重不足吧？」約娜能為迦南做的事情也做完了。

「隨你喜歡，但我事先聲明……你跟著我會學壞的。」阿諾特笑著說。

然後迦南和安德魯啟程回去東方魔幻世界，而阿諾特為了拯救海德拉需要更強而有力的人手支援，其實他心目中早有適合人選。

第八章

鐵扇對金絲

　　東方魔幻學園內，腹部受到嚴重傷害的白龍已脫離**危險時期**，暫時沒有生命危險，但學園內還是瀰漫著緊張的氣氛，學園徹底封鎖，師生不得出入學園，直至被通緝的安德魯和金鈴落網。除了一個不屬於魔幻世界的人，將被驅逐出境。

　　那是獵人艾爾文，他正執拾行李準備離開。

　　「安德魯和迦南下落不明，現在連你也要離開……」人魚公主愛莉對他依依不捨。

　　「這樣正好，繼續留在學園是幫不到他們的。」艾爾文摸摸愛莉的頭，以示安慰。

你不是還在懷疑安德魯嗎？為什麼突然願意幫助他們？

卡爾和艾爾文為此常常爭執，卡爾對朋友百分之百信任。

愛莉你相信安德魯和迦南吧？

當然相信呀！

安德魯和迦南是愛莉在魔幻世界最要好的朋友。

「愛莉相信的，我也願意相信。」獵人都把證據看得比一切重要，但艾爾文這次選擇相信愛莉的直覺。

「**坐以待斃**的確不是好辦法，如果我們也能逃出學園就好了……」四葉心急如焚，很想為摯友沉冤得雪。

「辦法並不是沒有，但不知道刻板的艾爾文你願意幫忙嗎？」愛莉向艾爾文撒嬌的說。

「你又想到什麼鬼主意了？」艾爾文有不祥的預感。

「艾爾文一定願意幫忙的，他又怎會要愛莉失望呢？」四葉猜想到愛莉的意思，兩人露出狡猾的笑容慢慢靠近艾爾文。

一會兒後，艾爾文走向離開東方學園的城牆，那裡由兩位高大魁梧的守門人看守住，確保閒雜人等無法出入。

「站住！請出示通行證。」牛頭守門人說。

艾爾文**戰戰兢兢**的拿出證件，不敢直視守門人的目光。

「走吧。」牛頭守門人確認過證件無誤，示意艾爾文可以離開。

艾爾文**鬆一口氣**，急急腳想要離開守門人的視線。

「**慢著！**」怎料馬面守門人大聲吆喝，嚇得艾爾文瑟瑟發抖。

「我嗅到妖魔的氣味，你的行李箱裡裝了什麼東西？」馬面守門人問。

「只是些個人衣物罷了，可能是我在學園宿舍留宿時沾上了別人的氣味吧。」為免守門人懷疑，艾爾文只好打開行李箱。

「你一個男孩子為什麼帶著這麼多玩偶？」馬面守門人指著三個布偶娃娃問。

「這些……全都是給我妹妹的手信！」艾爾文**急中生智**，想出絕佳的藉口。

「原來是位愛錫妹妹的好哥哥呢……你可以走了。」馬面守門人露出滿意的笑容，艾爾文順利瞞天過海。

緊張的艾爾文一度屏息呼吸，直至離開東方學園的範圍才敢放鬆下來，這位奉公守法的專業獵人，為博紅顏一笑真是犧牲不少。

三個布偶其實是愛莉、四葉和卡爾變成的，離開東方學園後三人立即解除魔法。

「計劃成功！」

「艾爾文你真的很不會說謊，我還以為會被守門人識穿呢。」四葉嬉笑著說。

「我家獵人是個誠實的好男生，這次真的辛苦你了。」愛莉安慰著驚魂未定的艾爾文。

「但我們下一步該怎麼辦？迦南和安德魯會在什麼地方？」卡爾問。

人海茫茫，愛莉等人在沒有任何線索的情況下，要找出迦南和安德魯有如**大海撈針**，而遠在人界的迦南和安德魯已和阿諾特會合。

保健室內，**大難不死**的白龍仍處於昏迷狀態，到底何時才能蘇醒過來還是未知之數，他的證詞十分重要，校長不接受鐵扇公主的片面之詞，唯有等白龍說出遇襲當晚的事，才有足夠理據向蜘蛛女妖金鈴和女兒國興師問罪。

但一直隱藏身影的金鈴怎會眼白白看著這事發生？變化成蜘蛛的她已悄悄來到白龍的病床前。

「別怪我，我們各為其主，我只是履行職責罷了。」蜘蛛女妖金鈴現出本來面貌，準備以手中金針刺進致命的穴位。

「我就猜到你一定會按捺不住，前來殺人滅口。」理應昏迷不醒的白龍及時捉住金鈴的手，金針距離白龍只剩僅僅一吋。

「鐵扇公主？」金鈴眼前的鐵扇公主脫去偽裝，真正的白龍早已被安排到安全的地方。

金鈴急忙掙脫，這一次她棋差一著，鐵扇公主對她早有懷疑，現在人贓並獲金鈴再也無法砌詞狡辯。

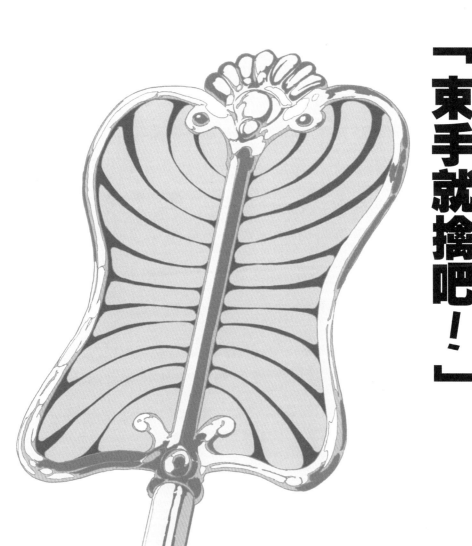

「束手就擒吧！」

鐵扇公主絕不放過這次機會，亮出**芭蕉扇**準備迎擊。

「你搞錯了，本來在我殺掉白龍之後，下一個便會輪到你，現在只不過改變次序罷了。」金鈴背部伸延的蜘蛛爪也在蓄勢待發。

帝都和女兒國的兩大女將正面交鋒，一方想要阻止三國戰爭，一方恨不得**天下大亂**，同為女兒之身卻有著相反的價值觀。

雙拳難敵四手，加上金鈴的蜘蛛爪鋒利無比，鐵扇公主只能小心翼翼，且戰且退。

「*芭蕉扇，變大！*」但鐵扇公主持有法術器具這項優勢，只見她兩手握緊巨大化的扇子，傾力一揮，捲起的狂風把保健室轟出一個大洞。

「休想逃跑！」眼見金鈴借勢跳出保健室外，鐵扇公主立即乘勝追擊，在空中展開追逐戰。

「金絲鐵網。」金鈴嘴角上揚，追向她的鐵扇公主迎面撞向她設置的陷阱。

盤絲洞蜘蛛女妖練就出能斷石分金的強韌絲線，金鈴的金絲更葬送過無數敵人。

　「不能再有所保留了……」鐵扇公主被絲線割破皮肉，危急關頭施展出壓箱底的秘密武器。

　　鐵扇公主的額上長出兩隻尖角，獠牙露出形同惡鬼，鐵扇公主又名羅剎女，是被視為惡鬼的羅剎族後人，他們惡形惡相，戰鬥力驚人。

芭蕉扇，風捲殘雲！

化身厲鬼的鐵扇公主皮膚得以硬化，衝破金絲的她舞動起芭蕉扇如同紙扇般輕盈。

芭蕉扇一撥喚起巨風，二撥召來大雨，鐵扇公主的全力一擊金鈴無從抵抗，伴隨雨水從高處墜落到地面上。

「醜陋的羅剎女⋯⋯原來這才是你的真面目。」動彈不得的金鈴嘲諷鐵扇公主。

「我已很多年未變成這姿態，女兒國的將領果然不容忽視。」羅剎族像厲鬼的面貌是鐵扇公主最討厭自己的一面。

「在牛魔王受操控束縛著你時，如果你展現出這份力量，他根本阻擋不了你，白龍也不用身受重傷。」金鈴看穿鐵扇公主的弱點，她內心深處的強烈自卑感。

「你⋯⋯到底想暗示什麼？」鐵扇公主老羞成怒，她自知心中有愧。

「害怕被心上人看到醜陋的真面目，所以你見死不救。你和我一樣不相信男人，不相信愛情，我說得有錯嗎？」金鈴自知不敵，轉而採取**心理戰術**，誘導對手露出破綻。

「我和你不一樣，我只是⋯⋯」情緒激動的鐵扇公主真的上鉤了，她正在步向蜘蛛的捕網。

「你敢讓牛魔王看你現在的模樣嗎？你這騙子。」曾受愛人欺騙的金鈴不再相信愛情，從此痛恨那些獲得幸福的有情人。

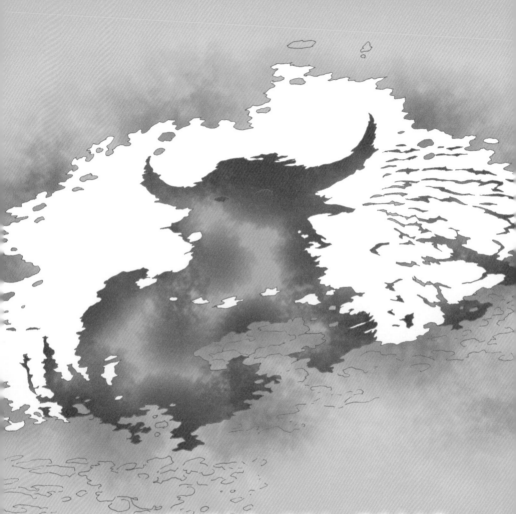

　　女生都想以漂亮的一面示人，鐵扇公主沒
法反駁，她看著地上雨水倒映出的厲鬼，她沒
有自信這是牛魔王所能接受。

戰場之上，一瞬間的大意足以致命，金鈴把握反敗為勝的機會，向神不守舍的鐵扇公主吐出隱藏口中的**金針**。

　　鐵扇公主已躲避不及，但一雙粗壯的臂彎把她一擁入懷，代替鐵扇公主承受攻擊。

　　「並不是所有人也是**以貌取人**的。」男人低沉的聲線把鐵扇公主從自我質疑中喚醒，但他的左眼受金針所傷恐怕往後也將失去視力。

　　「牛魔王！」鐵扇公主驚覺原來捨身相救的，正是她不敢向他展現真面目的牛魔王。

　　金鈴的最後殺著也無功而返，等待她的只有對她的惡行作出的審判和制裁，但在她失去自由之前映入眼簾的是人性美好的一面。

　　「*你的眼睛……*」鐵扇公主難過不已。

「幸好我及時趕到，若這樣的傷痕留在你身上，我會很心痛的。」牛魔王忍住痛楚露出微笑。

「我是醜陋的羅剎女，就算臉上多一兩條傷痕又有什麼所謂。」鐵扇公主隱藏的一面終於還是被未婚夫見到。

「你現在悔婚還來得及的，是我欺騙你在先……」強捍的鐵扇公主其實**自卑感**很重。

「你忘記了嗎？在很久以前我已見過你這一面呀。」牛魔王憶述起一段鐵扇公主早已遺忘的陳年往事。

在兩人還是小孩子的時候，帝都和羅剎族還未定下婚約，兩人也只見過對方幾面，但當中的一次經歷令牛魔王對鐵扇公主留下深刻的印象。

「*滾開！別以為我們是小孩子就好欺負！*」小小的鐵扇公主露出尖角和獠牙，

把襲擊他們的魔獸嚇怕。

　　「連魔獸也不害怕，你真的很屬害啊。」
小時候的牛魔王 體弱多病 ，和現在判若兩
人。

　　「你不怕我嗎？我可是長有尖角的啊。」
小鐵扇指著頭上尖角說。

　　「其實我也長有角的。」小牛魔王也露出
牛角說。

「啊⋯⋯那你長大後一定和我一樣，會變得很屬害，以後也不用害怕魔獸了。」小鐵扇不知道這回憶對牛魔王來說有多重要，在往後的日子裡，每當牛魔王快要放棄鍛煉時，也會回想起這個長有尖角的女孩。

「所以⋯⋯你一早便知道我是羅剎女，知道我是當年的小女孩？」鐵扇公主錯愕的問。

「當然知道，畢竟你和當年還是一模一樣。」牛魔王眼中的她，一直是那個強悍但美麗、長有尖角的小女孩。

鐵扇公主感到心頭一暖，她所自卑的秘密原來心上人早已知道，並且沒有嫌棄，兩人差點忘記眼下最重要的事情，就是把金鈴押送到校長面前對質。

但他們沒有想到的是，當他們趕到校長室之際，校長早已不在學園。

東方學園望月樓外，自從和安德魯大打一場之後，小猴便不眠不休守在望月樓的入口，神情悲傷的他被安德魯背叛而**大受打擊**，另一方面他十分擔心自己已時日無多。

「*我的身體……到底還能支撐多久？*」小猴抱著金剛棒喃喃自語，在上一次變身過後，他的身體變得更稀薄。

小猴不是孫悟空，他只是為守護唐三藏而存在的分身，但他同樣有感情，同樣不捨得離師父而去。

「小猴，你在擔心唐三藏嗎？」麒麟校長和龜仙翁深夜造訪，出乎小猴的意料。

「嗯……師父她一個人待在塔內，一定很孤單，很寂寞。」小猴一臉難過。

「孫悟空和唐三藏，你們的情誼實在令人感動。」麒麟校長拍手讚揚。

「嘻嘻……你過獎了。」聽得小猴尷尬面紅。

「明明只是孫悟空的**分身**，卻屢次爆發出驚人的力量，衝破特殊法器的封印……實在了不起。」麒麟校長散發出陰暗的氣息，令小

猴感到一陣寒意。

「*為什麼你會知道……我是孫悟空的分身？*」這秘密小猴只對安德魯說過，就連迦南和唐三藏也不知道。

「我當然知道，因為我親眼看著孫悟空放出分身，然後被囚禁在五指山下。」消失多時的麒麟校長巧合地在大家最無助，最需要他的時間回到東方學園，大家沒有懷疑過。

你……不是校長……

小猴激動得全身發抖。

麒麟校長和龜仙翁解除變化法術，由始至終兩人也沒有回到學園，冒充校長的正是妖魔三仙人中的羊力大仙和鹿力大仙，他們雖然不擅長**單打獨鬥**，但法術造詣精湛，他們的變化法術矇騙了東方學園內所有師生。

「幸好安德魯把你的力量消耗得所剩無幾，我們再也不用擔心你這個礙眼的小傢伙會變成大猩猩。」他們同樣把校長和龜仙翁壓在五指山下，成功以校長的權力把唐三藏軟禁起來。

妖魔三仙人的計劃**部署多時**，一步一步把威脅他們的因素排除。先把唐三藏困在望月樓內，然後以金鈴和安德魯的力量大鬧學園。白龍和不少學生身受重傷；安德魯和迦南避走人界；連小猴也無力再變成齊天大聖，再沒有人能阻止他們的奸計。

「**休想傷害師父！**」小猴握緊金剛棒捨命抵抗。

「放心吧，待我們完成偉業後，定必把你倆師徒埋葬在一起，好讓你們永不分離。」鹿力大仙施放迷魂毒煙，他的目標只有身處望月塔內的唐三藏。

望月塔，縮小。

　　羊力大仙一聲令下，巨大的望月塔隨即變得像玩具擺設般細小，這宏偉建築的真正面貌，是設計來運送囚犯的法術器具。

　　身懷聖舍利的唐三藏終於落入妖魔仙人的手中，距離達成他們的目的只差最後一步。

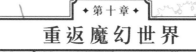

第十章

重返魔幻世界

　　西方魔幻王國的首都——**皇城**，是守衛
最森嚴的地方，皇宮範圍內更是由皇家騎士團
日夜看守。但一名妖魔憑藉卓越的身手，無聲
無息越過嚴密的防線到達皇宮深處。

「唔⋯⋯總覺得有種熟悉的氣味⋯⋯」卡爾的父親、皇家騎士團的團長卡隆，他的警覺性十分之高，再微弱的**妖魔氣息**也難以逃過人狼靈敏的鼻子。

「在那裡！」卡隆追向氣味的源頭，果然發現身穿黑袍的可疑人物。

可疑人物正向國王的寢室移動，他的目標是獅子王阿瑟。卡隆已全力追趕，但還是被這神秘的可疑人物先行一步，看著他化作黑霧穿過房門。

《來者何人？膽敢擅闖皇宮禁地？》卡隆當機立斷，以削鐵如泥的利爪撕破房門，生怕阿瑟的性命受到威脅。

「卡隆，不用緊張，他是我的客人。」阿瑟對深夜到訪的客人並不陌生，因為他是魔幻王國的特派使者。

「能察覺我的存在，不愧是皇家騎士團的

團長，但皇城的守衛真的無問題嗎？黑魔法派解散後，大家太鬆懈了吧？」神秘的入侵者正是阿諾特，這位吸血鬼對自己的身手信心十足，刻意挑戰皇城的守衛能力。

在國王阿瑟洞悉到邪惡勢力在人界**蠢蠢欲動**時，他便派遣阿諾特到人界協助獵人調查，阿瑟雖然有先見之明，但事態的嚴重性遠超他的想像。

「阿諾特？國王陛下委派你前往人界協助公會，你卻變成公會的**通緝犯**歸來，這到底是什麼回事？」卡隆收起利爪，皇城的消息十分靈通。

「說來話長……國王你的推測沒有錯，人界之內的確存在威脅魔幻世界的勢力，如果放任不管，不用多久他們便會帶齊人馬侵犯魔幻世界。」阿諾特嚴肅的說。

「人類和妖魔長久的和平關係，終於要被打破了嗎？」阿瑟感慨萬分，人類和妖魔的對立像是宿命。

兩個種族經歷多次戰火的洗禮，犧牲了無數的生命才建立起和平，但歷史總是會重現，人類侵略的天性無法改變。

他們還想挑起東方和西方的戰爭，若然被他們奸計得逞，在面對人類的挑戰前，恐怕魔幻王國經已大傷元氣。

讓東西雙方的妖魔自相殘殺後獲**漁人之利**，是天啟財團的計劃。

沒有辦法阻止嗎？

「我現在最需要的是人手，組成一隊有實力而且經驗豐富的作戰部隊。」若非形勢緊急，阿諾特也不願向別人尋求幫助，但這次的對手規模龐大。

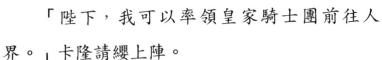

「陛下，我可以率領皇家騎士團前往人界。」卡隆請纓上陣。

「不……如果魔幻王國的士兵進入人界，公會一定**不會坐視不理**，這無疑會增加兩族的矛盾。」國有國法，家有家規，循規蹈矩的阿瑟不敢輕舉妄動。

「部隊的成員我已有合適的人選，只要陛下你同意，所有後果和責任由我一力承擔。」但阿諾特**不是守規矩的**人。非常時期唯有使用非常手段，遊走正邪之間的阿諾特不介意背負更多的罪名。

阿瑟點頭默許後，阿諾特便化作黑霧消失於夜空中。這位從來不受約束的吸血鬼王子，現在卻肩負起阻止人類和妖魔爆發戰爭的重任。

盤絲洞外，一道幻彩的傳送門憑空出現，安德魯和迦南穿過這扇門，從人類世界眨眼間來到東方魔幻世界，這就是迦南的特訓成果，現在她能隨時隨地打開**穿越兩個世界**的傳送門。

「想不到再回到這裡，竟花了這麼長時間。」安德魯不曾忘記和馬家姐妹的約定。

雙雙危在旦夕，雙兒把最後希望交托給安德魯，唯有唐三藏體內的聖舍利，能令殭屍女孩重返陽間，這是雙兒一直深信不疑的事。

「一定還趕得及的，雙雙⋯⋯一定還平安無事的⋯⋯」迦南氣喘如牛，要精準操控穿越到另一個世界的地點，對現在的迦南來說仍然殊不簡單。

「迦南，要休息一下嗎？」安德魯體貼的問，但其實他還未做好和馬家姐妹重逢的心理準備。

「我沒問題，但你準備好了嗎？」迦南一直想親自向這對姐妹道謝，但她明白安德魯的心情。

安德魯辜負了她們的期望，他空手回來盤絲洞，對雙兒來說等於宣告妹妹的死刑，這是無比殘忍的事。在安德魯還**裹足不前**之際，盤絲洞內寒氣洶湧而出。

「符咒法術，冰寒十里！」

施術者殺氣騰騰，對安德魯滿懷敵意，遍地冰刺分隔開他和迦南。

「是誰？」安德魯擔心馬家姐妹的安危，畢竟她們也是女兒國緝拿的對象。

「你這**忘恩負義**的騙子！符咒法術，紅蓮綻放！」但向安德魯出手的竟是雙兒，兩眼通紅的她狀態有別於過往，法術的破壞力也更勝從前。

雙兒……

雙兒毫不留情，招招奪命。安德魯卻只顧著閃避，不願還擊。

我從一開始就不應該相信你，不應該把拯救雙雙的希望交給你！

火焰法術威力驚人，雙兒兩手也被符咒法術所傷，但她絲毫沒有停下來的意思。

心中有愧的安德魯不敢直視雙兒的眼睛，但和雙兒素未謀面的迦南十分冷靜。**就算仇恨再深，人類也難以無視痛楚，加上雙兒通紅的眼睛並不尋常。**

「安德魯，雙兒的狀態很不對勁。」迦南以魔法束縛住雙兒的手腳，阻止她繼續傷害自己。

這裡是盤絲洞，是擅長操控他人的蜘蛛女妖的巢穴，安德魯聚精會神，果然看見雙兒背後的幾根銀針。

「**落雷！**」安德魯立即以魔法解除雙兒被施銀針的影響。

雙兒被銀針強行催逼出魔力，現在感覺全身乏力，倒地不起。

「是銀鈴下的毒手……雙雙呢？」

安德魯抱起雙兒走進盤絲洞內，但洞內已空無一人。

幾經周折，安德魯雖然回來找馬家姐妹，但他還是晚了一步，銀鈴已帶走了被寒冰封住的雙雙；而唐三藏最終還是落入了他們的魔爪之中。

下 回 預 告

我的吸血鬼同學

為了拯救雙雙，安德魯和迦南重返東方魔幻世界，
他們在東方冒險的最後一站，是女兒國中最神秘的禁地。

阿諾特從魔幻王國請來身份特殊的援軍，他們的出現，將會令
阿諾特和艾翠絲的關係一發不可收拾。

vol.19　　盛夏出版

展開校園成長 × 魔幻歷險 的精采旅程

故事簡介

長處於孤獨、受詛咒纏身的千金小姐潘娜恩，
在父母雙亡後得到四騎士的保護。
她們為了解開陰謀和謎團，開始追尋和收集十二聖物。
這些聖物各有神奇力量，運用它們就能施展魔法。
目前她們已找到水瓶的魔法筆，
第2集裡，她們得到「雙魚的魔笛」下落的線索，
因此冒險前往「人魚島」。
這是個發生在貴族校園與魔幻世界
的華麗青春成長物語！

作者
陳四月
《我的吸血鬼同學》

插圖
魂魂Soul
《推理七公主》

第2期經已出版

創造館

花樣

文──陳四月
圖──余遠鍠
經已出版

文──陳四月
圖──多利
經已出版

寫下你所共鳴的
青春與成長的模樣

2023年創造館唯一全新兒童系列！籌備已久的新創作登場

《我的吸血鬼同學》魔幻小說家 **陳四月** ✕ 《Stem少年偵探團》人氣插畫家 **多利**

科普少女團

放飛思緒馳騁想像之兒童科普讀物

少女三人組

周星彩（14歲）

活潑好動，充滿好奇心。行動力強，常常因衝動行事而碰壁，但樂觀愛笑，不會輕言放棄。

韓珍妮（14歲）

身材矮小，性格孤僻倔強。天資聰穎，記憶力強，在學校成績優異。家境清貧，父母自幼雙亡，脾氣有點暴躁。

陳妍書（14歲）

個子高高，性格十分內向。說話陰聲細氣，不擅與人交流，文靜而且容易害羞。出身在名門世家。

故事簡介

MiSSiON 1：地心歷險記

　　科幻小說家深信，在地底深處，是個有生命存在的地心世界！裡面有吃人植物、暴怒火山、驚濤大海，更有兇猛巨大的史前生物！在虛擬世界裡，這的確存在！

　　元域學院的新生珍妮、星彩和妍書各有個性，她們組成三人團隊，坐上通往地心世界的礦車，展開了驚險不斷的冒險旅程！她們能夠「生還」以及「順利逃出」嗎？那就要看這小隊的實力、鬥志與團隊精神了！

售價：
S68

創刊號七月書展登場　擁抱 IT 新時代

童話夢工場的角色們
這一次化身導遊帶你遊香港
並與你一起學習

小孩、大人、師生、親子都看得懂，也必須知道的

童話夢工場

之

十萬個為什麼

有些知識，學校沒教，但一定要懂！
而且最好從小就懂！
與生活息息相關的選材，
例如：科技篇、地理篇、理財篇等……
21 世紀 20 年代全新編著，
後疫情時期認識新時代新世界，
書架上的必備知識類讀物。

與坊間和以往的《十萬個為什麼》有什麼不同呢？

- 由深受學生喜歡的童話人物，以遊香港為引子，在不同的景點講解知識，貼地又實用。

- 附設各區好去處的資料，可作為親子旅遊書，同時認識香港更多地方。

- 除解答「為什麼」問題之外，更有相關延伸學習資訊。

- 問題設定別出心裁，可應用到實際生活，並非一般常見的「萬年不變百科式題目」。

- 保證答案很難在維基或 google 一鍵找到啊！因此更具收藏價值。

- 每冊均獲得該範疇專業人士或學者監修／推薦

2023年書展

 CREATION CABIN ×

隆重呈獻

每冊 $88

我的吸血鬼同學

創作繪畫	余遠鍠
故事文字	陳四月
策劃	YUYI
編輯	小尾
設計	siuhung
實景	張耀東
出版	創造館 CREATION CABIN LTD. 荃灣美環街 1-6 號時貿中心 6 樓 4 室
電話	3158 0918
發行	泛華發行代理有限公司 香港新界將軍澳工業邨駿昌街七號二樓
印刷	高科技印刷集團有限公司
出版日期	2023 年 6 月
ISBN	978-988-76569-7-5
定價	$68
聯絡人	creationcabinhk@gmail.com